TWO VISIONS *of Newfoundland & Labrador*

DEUX VISIONS de Terre-Neuve et Labrador

Paintings/Tableaux **JC ROY**   Photography/Photographie **BEN HANSEN**

Text/Texte de **CHRISTINA ROY**

Graphic Design/Conception graphique de **SARAH HANSEN**

Translated from English/Traduit de l'anglais par **MARIE-CHRISTINE HALLIDAY**

© Copyright 2004
Ben Hansen / Jean-Claude Roy

Vinland Press, A1A 4X4

The use of any part of this publication
by any means, without the consent of
the publisher, is an infringement of
copyright law.

Printed and bound in China by
Everbest Printing Co. Ltd.

Photographed with a Nikon 5700
digital camera. Some photographs have
been digitally enhanced. Photographs
of paintings by Ben Hansen.

Painting of French's Cove used with
permission from The Christopher Pratt
Gallery, Bay Roberts.

Acknowledgements:
The Department of Tourism and Culture,
Government of Newfoundland and
Labrador, for financial support for
translation; Debbie Petite and Ann
and George Casey for their hospitality.

A special thank you to Joyce and
Christina for all their patience and
hard work.

Canadian Cataloguing in Publication Data
Hansen, Ben, 1927 –
Roy, Jean-Claude, 1948 –

1. Two Visions of Newfoundland &
Labrador / Deux Visions de Terre-Neuve et
Labrador – Description – Views

ISBN 0-9693174-7-6

© Copyright 2004
Ben Hansen / Jean-Claude Roy

Vinland Press, A1A 4X4

Aucune reproduction de cette publication,
en tout ou en partie, par n'importe quel
moyen, n'est autorisée sans la permission
de l'éditeur.

Imprimé et relié en Chine par
Everbest Printing Co. Ltd.

Photographies prises avec un appareil
numérique Nikon 5700. Certaines photographies ont été améliorées par ordinateur. La photographie des peintures
est de Ben Hansen.

Le tableau French's Cove
est reproduit avec la permission de :
The Christopher Pratt Gallery,
Bay Roberts.

Remerciements: -au ministère du tourisme
et de la culture, gouvernement de Terre-
Neuve-et-Labrador, pour son aide finan-
cière à la traduction ; -à Debbie Petite et à
Ann et George Casey pour leur hospitalité.

Un grand merci à Joyce et Christina pour
leur patience et leur travail assidu.

Données de catalogage
avant publication (Canada)
Hansen, Ben, 1927 –
Roy, Jean-Claude, 1948 –

1. Two Visions of Newfoundland &
Labrador / Deux Visions de Terre-Neuve et
Labrador – Description – Vues

ISBN 0-9693174-7-6

Foreword

This collaboration of two artists evolved from a chance meeting in the summer – more precisely Regatta Day – of 2001, when Ben Hansen was looking for a photograph of St. John's for his new book "Avalon Adventure". Wandering through the crowd, he came across Jean-Claude Roy working on a large oil painting. A friendly conversation ensued, and Ben decided to use a picture of Jean-Claude painting the Regatta for the cover of his book.

This juxtaposition of the work of two artists using different media gave Jean-Claude an idea. He proposed that together they make a working trip to their favourite places around the province, to see what resulted. Would they choose the same subjects? Would they influence each other? A brief meeting with Ben in the fall of 2002 progressed rapidly from "I've done my last book" to "Why not?", and Jean-Claude arrived in June 2003 to find Ben on the doorstep armed with a new camera and a set of walkie-talkies. The latter turned out to be one of their few failures, as a string of missed rendezvous led to one hunting down the other from outport to outport along the coast.

Ben was also working for the first time with a digital camera, and while he was instantly enamoured of the results, he was less impressed by dead batteries, full flashcards and the mysteries of the computer.

The basis for this project was a set of striking similarities. Both artists are "come from aways" – Ben is Danish and Jean-Claude is from France. They both came to Newfoundland in the late sixties and have each spent more than thirty years portraying the landscape and its people. During this time they have both developed a deep knowledge of the place and have recorded some of the changes that have taken place.

There were some concerns. The needs of a photographer and a painter are different; Jean-Claude could eliminate a telephone pole or foggy weather as he pleased, while Ben had to find another angle or wait, but the speed of photography meant that he never found himself working for hours in drenching rain as Jean-Claude did. There were also differences in age and temperament, and both had previously preferred to work alone.

They began in the summer of 2003, and quickly discovered a remarkable overlap in their lists of favourite places. Each was convinced that he knew every inch of the province, but was occasionally able to surprise the other. They were equally matched for enthusiasm and hard work, and these nearly ended the project when Ben fell asleep and rolled his car off the Trans Canada Highway while driving back from the west coast during the night because he didn't want to lose a day. In typical fashion, he located his camera, climbed out of the wreck, caught the bus to St. John's, replaced his car and was back at work the next day.

There are many stories… but they will be told by the photographs and paintings that follow. This hybrid, neither wholly art book nor travel book, is the record of a voyage around the province by two artists who have become Newfoundlanders but still occasionally see it through a foreign eye. For those who want to follow along, it is organized roughly counterclockwise, starting and finishing on the Avalon. You will recognize some of the place names, but for others you may want to take along a map.

A last word must be said about the people of Newfoundland and Labrador who have been unfailingly generous and welcoming to these two "outlanders" since their arrival over thirty years ago. This book is dedicated to them.

Christina Roy

Avant-propos

Cette collaboration de deux artistes est née d'une rencontre fortuite un été - plus précisément en 2001, le jour des régates de St John's. Ben Hansen cherchait une photographie à prendre pour son nouveau livre Avalon Adventure. En se promenant dans la foule, il est tombé sur Jean-Claude Roy qui travaillait sur une peinture à l'huile. Une conversation amicale s'engagea, et Ben décida de prendre, pour la couverture de son livre, une photo de Jean-Claude en train de peindre les régates.

De ce rapprochement du travail de deux artistes ayant chacun leur médium particulier est née une idée: Jean-Claude a proposé à Ben d'aller ensemble peindre et photographier leurs endroits préférés de la province et de voir ce qui en résulterait. Choisiraient-ils les mêmes sujets? S'influenceraient-ils? Ils se sont rencontrés brièvement en automne 2002 et, d'abord hésitant, Ben est passé rapidement de : « J'ai fait mon dernier livre » à : « Pourquoi pas ? » Dès son retour en juin 2003, Jean-Claude l'a trouvé à sa porte, armé d'un nouvel appareil photo et de talkies-walkies. Ces derniers ne les ont pas vraiment aidés : Ben et Jean-Claude se sont souvent poursuivis de rendez-vous manqué en rendez-vous manqué tout le long du littoral !

Ben travaillait pour la première fois avec un appareil photo numérique, et il a été immédiatement ravi des résultats. Par contre il était moins impressionné par les piles rapidement hors d'usage, les cartes si vite remplies et les mystères de l'ordinateur !

Le fondement de ce projet est un ensemble de ressemblances frappantes. Tous deux sont « d'ailleurs » – Ben est danois et Jean-Claude vient de France, ils sont arrivés à Terre-Neuve vers la fin des années 60, et ont passé plus de trente ans à capturer ses paysages et ses habitants. Pendant toutes ces années, ils ont acquis une connaissance profonde de la province et en ont documenté de nombreux changements.

Il y a eu quelques problèmes. Les besoins d'un photographe et ceux d'un peintre sont différents : Jean-Claude peut éliminer un poteau télégraphique ou du brouillard quand il veut, alors que Ben doit trouver un autre angle ou attendre. Par contre, grâce à la vitesse de la photographie, il ne doit jamais rester pendant des heures sous une pluie battante comme le fait Jean-Claude ! Il y a aussi une différence d'âge et de tempérament, et tous les deux ont toujours préféré travailler seul.

Ils ont commencé en été 2003, et ont rapidement découvert que les listes de leurs endroits préférés se recoupaient remarquablement. Chacun était convaincu qu'il connaissait tous les recoins de la province, mais ils se sont étonnés l'un l'autre. Ils ont partagé un enthousiasme et une poursuite du travail tels que leur projet a failli être terminé quand Ben s'est endormi au volant de sa voiture et a quitté l'autoroute trans-scanadienne en revenant de la côte ouest pendant la nuit, parce qu'il ne voulait pas perdre une journée ! Fidèle à lui-même, il a saisi son appareil photo, est remonté sur la route, a attrapé l'autobus pour St. John's, a remplacé sa voiture et était de retour au travail le jour suivant.

Il y aurait beaucoup d'histoires à raconter… mais quoi de mieux que leurs photographies et leurs peintures pour le faire. Ce livre spécial, ni livre d'art ni livre de voyage, est le témoin d'un périple autour de Terre-Neuve et du sud du Labrador de deux artistes qui, bien que devenus terre-neuviens, voient encore quelquefois la province d'un oeil étranger. Pour ceux qui veulent suivre leur trajet, il est organisé plus ou moins dans le sens contraire des aiguilles d'une montre, commençant et finissant en Avalon. Vous reconnaîtrez certains noms, pour d'autres vous aurez peut-être besoin d'une carte.

Un dernier mot pour les gens de Terre-Neuve-et-Labrador : ils ont été sans cesse accueillants et généreux envers ces deux « étrangers » depuis leur arrivée il y a plus de trente ans. Ce livre leur est dédié.

Christina Roy

Wedding at Cape Spear   Collection : Thelma & Ross Elliott   *Mariage au cap Spear*

Jean Claude came across a wedding at Cape Spear. The wind made the music inaudible, and the bluebells in the foreground nodded and shook their heads as if saying "yes… no… yes… no…"

Jean-Claude est tombé sur un mariage au cap Spear. Le vent l'empêchait d'entendre la musique, et les campanules au premier plan secouaient la tête comme pour dire « oui, non… oui, non… »

Rock Palette, Cape Spear   *Rocher-palette, cap Spear*

The wind at Cape Spear has deformed the tree; a rock in the foreground made a palette that will not blow away.

Le vent du cap Spear a tordu l'arbre ; un rocher au premier plan a formé une palette qui ne s'envolera pas.

"We're later than the rest of Canada, yet we get the sun first." The old (1834) and new (1949) lighthouses at Cape Spear are shown in the early morning.

« Nous sommes en retard sur le reste du Canada, et pourtant nous avons le soleil en premier ! » L'ancien phare de cap Spear (1834) et le nouveau (1949), au petit matin.

Icebergs travel a long way to reach the coast of Newfoundland in summer, as do many of the tourists who come here especially to see them.

Les icebergs font un long voyage avant d'atteindre en été les côtes de Terre-Neuve, comme de nombreux touristes qui y viennent spécialement pour les voir.

Iceberg at Middle Cove

Iceberg à Middle Cove

Jean Claude saw this iceberg from the airplane as he arrived in St. John's in June and painted it the next day because in a week it might melt, turn over or break in two.

Jean-Claude a vu cet iceberg de l'avion en arrivant à St. John's et est allé le peindre tout de suite le lendemain : dans la semaine il aurait pu fondre, se retourner ou se casser en deux.

Pouch Cove   *Pouch Cove*

This work by artisan Harry Sullivan illustrates Pouch Cove when cod were plentiful. Fish were hoisted up from the boats onto wharves perched on the cliffs.

Cette œuvre de Harry Sullivan illustre Pouch Cove tel que c'était quand la morue était abondante. Les poissons étaient hissés directement des bateaux sur les quais perchés sur les falaises.

In Petty Harbour, these red "snakes" on the wharf are used to collect debris from a construction project.

A Petty Harbour, ces "serpents" rouges sur le quai sont utilisés sur l'eau pour retenir les débris d'un site de construction.

Petty Harbour Wedding

Mariage à Petty Harbour

Looking inland at Petty Harbour, the church is real but the wedding is imaginary.

Petty Harbour vu de la mer ; l'église est réelle mais le mariage imaginaire !

Cabbage Patch, Conception Bay

Carré de choux à Conception Bay

Vegetable gardens around Conception Bay: a cabbage patch in St. Philip's and a newly planted potato field (opposite) in Conception Harbour.

Des jardins potagers autour de Conception Bay : un carré de choux à St. Philip's et un champ de pommes de terre récemment plantées à Conception Harbour (page ci-contre).

Near French's Cove, these children on a playground asked why Ben was taking their picture. "A book!" said one with disgust. "Newspapers are better. You can see the picture the next day."

Près de French's Cove, ces enfants dans un terrain de jeu nous ont demandé pourquoi Ben prenait leur photo. « Un livre, a répondu l'un d'eux avec dégoût, ça serait mieux dans le journal, on pourrait voir la photo le lendemain! »

French's Cove

French's Cove

One hundred years ago there were houses and children playing on this quiet meadow at the east end of Bay Roberts.

Il y a cent ans, il y avait des maisons et des enfants qui jouaient dans ce pré tranquille à l'extrémité est de Bay Roberts.

Bay Roberts Lupins

Lupins à Bay Roberts

Despite the name of the painting, it was the lilac tree that caught the artist's eye. Wildflowers crowded the roadside at the end of June.

Le nom du tableau vient des fleurs, mais c'est le lilas qui avait attiré l'attention de l'artiste.
Les fleurs sauvages envahissaient le bord de la route fin juin.

The owner of this house in Harbour Main is unusually tolerant of this attractive field of dandelions.

Le propriétaire de cette maison à Harbour Main est bien tolérant pour ce champ splendide de pissenlits.

Colliers   *Colliers*

A couple stopped their car to watch. The man asked his wife to describe the painting.
"I'm blind now," he said. "I used to live nearby."

Un couple arrêta sa voiture. Le mari demanda à sa femme de lui décrire la peinture.
« Je suis aveugle à présent dit-il, avant je vivais tout près d'ici ».

These traditional houses and barns are disappearing; in the painting (opposite) they seem literally ready to topple over.

Ces maisons et ces granges traditionnelles disparaissent peu à peu ; dans le tableau, elles semblent littéralement prêtes à basculer.

Brigus, one of the oldest settlements in Newfoundland.

Brigus, une des communautés les plus anciennes de Terre-Neuve.

Autumn in Brigus   *L'automne à Brigus*

"The sky was pure blue. Everything was so magnificent and surreal. I had to make the sky dark to give enough light to the land, and it had to be red for warmth. That was the feeling of the place."

« Le ciel était d'un bleu étincelant. Tout était si magique et surréel. J'ai dû assombrir le ciel pour donner assez de lumière à la terre, et la réchauffer de rouge. C'est ce que j'ai ressenti. »

Two red buildings, one near Carbonear and the other (opposite) in Dildo. The first has an exceptional display of yard art while the second stands out like a beacon on a rainy day.

Dildo

Dildo

*Deux bâtiments rouges : celui près de Carbonear a une collection exceptionnelle d'art naïf,
celui de Dildo se dresse comme une balise un jour de pluie.*

The biggest iceberg seen for many years in Spaniard's Bay provides a unique backdrop for the boats at anchor.

Le plus grand iceberg qu'on ait vu à Spaniard's Bay depuis des années fait une toile de fond unique pour les bateaux ancrés dans la baie.

"This bird in Perry's Cove declined to leave as I approached, and did a pirouette for me, but finally got tired of showing off and flew away."

« Cet oiseau à Perry's Cove me laissa approcher, me fit une pirouette et finalement fatigué de parader, s'envola ».

Abandoned Boat and Black Sun   *Bateau abandonné et soleil noir*

The photograph of an abandoned boat (opposite) recalled this painting done several years ago (1992), even to the weed growing up through the rotting boards.

*Cette photo d'un bateau abandonné rappelle ce tableau peint il y a quelques années (en 1992),
jusqu'aux mauvaises herbes qui poussent entre les planches pourries !*

This was their first day working together. Ben found this picture almost immediately, and……

C'était leur premier jour ensemble, Ben prit sa photo presque tout de suite et….

Ochre Pit Cove

Ochre Pit Cove

…waited while Jean Claude climbed around the cliffs for half an hour before deciding where to set up his easel. Ben left to explore nearby Freshwater.

….attendit pendant que Jean-Claude grimpait dans les rochers pendant une demi-heure avant de décider où installer son chevalet ! Ben le quitta pour aller explorer Freshwater juste à côté.

"This photograph of Freshwater has an almost monochromatic quality, but without the headboard and the grass in the foreground, it would not be interesting."

«Cette photographie prise à Freshwater a une qualité presque monochromatique, mais sans le dossier de lit et les herbes au premier plan, elle n'aurait aucun intérêt.»

Upper Island Cove

Upper Island Cove

Trinity   *Trinity*

Jean Claude describes this painting of Trinity as "well-behaved" because the sky and sea are blue and the sun is more
or less in the correct place and the walls and roofs are upright and straight…

*Jean-Claude considère ce tableau de Trinity "sage" parce que le ciel et la mer sont bleus, le soleil est plus ou moins où il doit être,
et les murs et les toits sont à angle droit…*

…like this house and church.

…comme pour cette maison et cette église.

Trinity East

Trinity East

Red stairs and reflectors from the Bonavista lighthouse.

Escalier rouge et réflecteurs du vieux phare de Bonavista.

The shapes and tonal values of these bells at Central United Church on Random Island appealed to Ben.

Les formes et les tons de ces cloches de l'église unifiée de Random Island ont retenu l'attention de Ben.

Sandy Cove is quiet in the morning.

Sandy Cove est tranquille le matin.

English Harbour

English Harbour

Jean Claude has often told his students not to put two eyes in a building, but sometimes it works. The roofs of these three buildings echo the curves of the bells, opposite.

Jean-Claude dit souvent à ses élèves de ne pas mettre d' « yeux » aux maisons, mais parfois ça marche ! Les toits de ces trois bâtiments font écho aux courbes des cloches de la page ci-contre.

Salvage *Salvage*

Two paintings gave Ben plenty of time to explore the wharves and he found this interesting juxtaposition of red, white and blue, with one green glove (opposite).

Deux peintures ont donné à Ben tout le temps d'explorer les quais et il a découvert cette intéressante juxtaposition de bleu, blanc et rouge, avec un gant vert (ci-contre).

Pink Caress in Salvage *Douceur rosée à Salvage*

The Barbour Properties in Newtown.

La concession Barbour à Newtown.

Pool's Island

Pool's Island

This photograph of Salt Harbour, on New World Island, has been enhanced to give it a more painterly effect.

Cette photo de Salt Harbour, à New World Island, a été retouchée pour lui donner l'aspect d'une peinture.

Tizzard's Harbour

Tizzard's Harbour

It is not clear whether this building was once a church, has become a church,
or perhaps just has recycled windows!

*On ne sait pas si ce bâtiment était autrefois une église, est devenu une église
ou a peut-être simplement des fenêtres recyclées !*

Lower Harbour, Exploits Island

Lower Harbour, Exploits Island

There are no cars on Exploits Island. In the summer, people walk from house to house along the footpaths as they did when it was a year-round community.

Il n'y a pas de voitures sur cette île. En été, les habitants vont de maison en maison par les sentiers, comme ils le faisaient quand ils y habitaient en permanence.

This majestic iceberg ran aground near Twillingate.

Cet iceberg majestueux s'est échoué près de Twillingate.

Barrens Ballet

Ballet sur la toundra

Bridge at Buttterpot Park

Pont au parc Butterpot

Fireweed and Black Sun

Fleurs sauvages et soleil noir

Beaver House and Larch

Cabane de castor et mélèze

Jean Claude finds the view inland as impressive as the coast.

Jean-Claude trouve les paysages de l'intérieur aussi impressionnants que ceux du littoral.

Dorset Sky, Fleur de Lys

Ciel de Dorset, Fleur de Lys

The Shelley garden in Fleur de Lys. Many artifacts from pre-European people have come out of this potato patch.

Le jardin des Shelley à Fleur de Lys ; de nombreuses trouvailles archéologiques de la période pré-européenne ont été faites dans ce carré de pommes de terre.

Maritime Archaic Indians and Dorset Paleoeskimos both inhabited Fleur de Lys before the Europeans came. This soapstone quarry was used by the Middle Dorset to manufacture pots and oil lamps.

Des Indiens maritimes archaïques et des Paléo-esquimaux Dorset ont habité Fleur de Lys avant l'arrivée des Européens. Cette carrière de pierre à savon de l'époque Dorset était utilisée pour la fabrication de pots et de lampes à huile.

Views from opposite sides of the active fishing community of Fleur de Lys.

Fleur de Lys

Fleur de Lys

Vues des deux côtés du village de pêcheurs de Fleur de Lys.

Squid drying on a rack in Shoe Cove, near
La Scie; the cod fishery has failed, but other
species are being caught in its place.

*Des encornets mis à sécher à Shoe Cove, près de
La Scie ; la pêche à la morue est finie, mais
d'autres espèces l'ont remplacée.*

The protected harbour of Snook's Arm.

Le port bien abrité de Snook's Arm.

In Mrs. Barrett's loft in Fleur de Lys, there is an invitation to dinner and to sign the wall, while socks and gloves dry on the line.

Dans la remise de Mme Barrett à Fleur de Lys, on est invité à manger, et à mettre son nom sur le mur, tandis que les chaussettes et les gants sèchent sur la corde.

Rooms   *Rooms*

You may have difficulty finding Rooms, White Bay on a map. An enquiry of the provincial government led to the information that it was "not in the system". This is what it looks like.

Vous aurez du mal à trouver la communauté de Rooms, White Bay, sur la carte. A l'enquête faite auprès du gouvernement, on a répondu : « pas dans le système » ! Voici comment la voit l'artiste.

For the few minutes at sunset one can see the sun's warm reflection on
St. Barnabas Anglican Church in Flower's Cove.

*Pendant quelques minutes au coucher du soleil on peut voir le reflet chaud
du soleil sur les murs blancs de l'église anglicane St. Barnabas à Flower's Cove.*

Bellburns

Bellburns

Port au Choix Bonfire

Feu de joie à Port au Choix

"I wish I'd seen that bonfire," said Ben, but there was no bonfire.
The pile of driftwood was real, but fire and the people were added later.

« J'aurais aimé voir ce feu », dit Ben. Mais il n'y a jamais eu de feu de joie.
Il y avait bien un tas de bois sec au départ, mais le feu et les personnages ont été rajoutés plus tard.

Ces différentes vues du phare de Point Riche ont toutes été prises le matin.

These photographs of the
Point Riche lighthouse from different
angles were all taken in the morning.

In Conche, Ben asked a woman if this red building was her's. "No, that's Pat's store and he isn't home," she said as she walked away.

A Conche, Ben demanda à une dame si ce bâtiment rouge lui appartenait. « Non, dit-elle en s'éloignant, c'est à Pat, mais il n'est pas là. »

Conche

Conche

Pat may have been amongst the group of men who spent the day sitting on the wharf. Occasionally they came for a closer look, and to relate the history of the nearby houses. No one ventured an opinion about the painting.

Pat était sans doute dans le groupe d'hommes qui passa la journée sur le quai. De temps en temps ils venaient voir de près, et racontaient l'histoire des maisons voisines. Personne ne s'aventura à donner son avis sur la peinture.

Englee

Englee

The wharves jut out at odd angles in this part of Englee. The explanation given was that this cove was settled almost overnight when houses, sheds and wharves were floated in from another settlement.

Les quais sont posés de façon bizarre dans cette partie d'Englee. On nous a expliqué que cette anse a été peuplée du jour au lendemain, lorsqu'on a amené par la mer les maisons, les remises et les quais d'une autre communauté.

Englee

Englee

Ben was never disappointed wandering around any outport, especially Englee. In this photograph there are at least five pairs of items, to go with the pair of paintings.

Ben n'a jamais été déçu de ses promenades dans les petits ports, surtout à Englee : il a trouvé dans cette scène cinq paires, pour faire paire avec les tableaux !

C'était sinistre le soir à Nameless Cove, avec le bois vieilli par le temps, le bateau et le baril abandonnés, et même l'araignée qui se cachait.

Nameless Cove was eerie in the evening, with the weathered wood, abandoned boat and barrel, as well as the nameless hidden spider.

St. Margaret's Bay Garden

Jardin à St. Margaret's Bay

With a short growing season one needs an enormous sun to warm the land and help the vegetables grow in this small fenced garden near New Ferolle.

Avec l'été si court, il faut un soleil énorme pour réchauffer la terre et aider les légumes à pousser dans ce petit jardin clôturé près de New Ferolle !

Norm Young's Stagehead Carving Shop in Griquet displays images of the North in whalebone and antler.

L'atelier de sculpture "Stagehead" de Norm Young à Griquet propose des images du Nord en os de baleine et en bois de cervidés.

A Straitsview, la famille Hedderson attrape les bigorneaux dans des trappes faites avec des seaux en plastique. Aussi sur le quai, une autre de leurs inventions : un arbre à sécher les gants !

In Straitsview, the Heddersons catch whelks in traps their sons have made from plastic barrels. Also on the wharf is another of their inventions, a glove-drying tree.

Another example of a new use for something old, this one in Noddy Bay where rope is stored in an abandoned school bus.

Un autre exemple de recyclage, celui-ci à Noddy Bay, où les cordages sont entreposés dans un autobus scolaire abandonné.

Cape Onion   *Cape Onion*

In Cape Onion, this fisherman's house is now a bed and breakfast.

A Cape Onion, cette maison de pêcheur est maintenant un gîte d'hôtes.

Sandy beach and crystal-clear water in Pinware, Labrador.

La plage de sable et les eaux cristallines de Pinware au Labrador.

Forteau   *Forteau*

The photographer has some advantages; he can escape the mosquitos after a quick photograph, while the artist retreats within a bug jacket to do this painting.

Le photographe a des avantages : il peut échapper aux moustiques après une prise rapide, alors que le peintre doit se couvrir d'un filet à moustiques pour finir son œuvre !

These fancy windows and the flag half worn away
caught Ben's eye in Capstan Island, Labrador

*Ces fenêtres décorées et ce drapeau à moitié déchiré ont
attiré l'attention de Ben à Capstan Island au Labrador.*

This boat lies at anchor in Red Bay, where Basque fishermen processed whales five hundred years ago.

Ce bateau est à l'ancre à Red Bay, là où les pêcheurs basques traitaient les baleines il y a cinq cents ans.

L'Anse au Clair's museum is a former church.

Le musée de l'Anse au Clair est une ancienne église.

L'Anse au Clair

L'Anse au Clair

Forteau

Forteau

L'Anse Amour lighthouse at sunrise.

Le phare de L'Anse-Amour au lever du soleil.

Red Bay

Red Bay

Mr. Bridle was showing his whalebone collection when Nathan and Deanna
drove by on an ATV and agreed to pose.

*M. Bridle nous montrait sa collection d'os de baleine quand Nathan et Deanna sont arrivés en VTT ;
ils ont été d'accord pour poser.*

A blue dusk in Red Bay.

Un crépuscule bleu à Red Bay.

Deux scènes différentes à Bonne Bay : ici, le mont Gros Morne est couvert de nuages impressionnants ; sur l'autre page, un cours d'eau peu profond bordé d'arbres rabougris coule dans le lit de la rivière à Trout River Gulch.

Berry Barren Brook

Berry Barren Brook

Two different scenes in Bonne Bay. A shallow brook edged by stunted trees runs through the floor of Trout River Gulch, while (opposite) Gros Morne is topped by dramatic clouds.

It is uncommon enough to see an artist painting outdoors, but rarer still during a Newfoundland winter. Hands freeze before oil paint, and wet mitts don't help either. In St. Margaret's Bay, skaters make circles on the windswept ice.

Crouse in Winter   *Crouse en hiver*

St. Margaret's Bay in Winter   *St. Margaret's Bay en hiver*

Il n'est pas très commun de voir un artiste peindre en plein air, mais encore moins pendant l'hiver terre-neuvien, les doigts gèlent avant la peinture et les mitaines humides n'aident en rien ! A St. Margaret's Bay, les patineurs font des cercles sur la glace balayée par le vent.

In Frenchman's Cove, Bay of Islands, the dories have a characteristic shape and colour. Longliners are also present, and these two men are relaxing after a long day.

A Frenchman's Cove, Bay of Islands, les doris ont une forme et une couleur caractéristiques. Il y a aussi des bateaux de pêche à moteur, ces deux hommes se reposent après une longue journée.

"Je savais qu'il ferait quelque chose comme ça aux bateaux" dit Ben, maintenant habitué aux libertés que Jean-Claude prend avec les formes.

York Harbour

York Harbour

"I knew he'd do that to the boats," said Ben, now used to Jean Claude taking liberties with the shapes of things.

The Cape St. George "boot" as it warms up with sunset colours.

La "botte" de Cap St-Georges qui se réchauffe des couleurs du coucher de soleil.

Our Lady of Mercy Church, Port au Port West.

Eglise Our Lady of Mercy, Port au Port ouest.

Still on the Port au Port Peninsula: the ubiquitous clothesline on a fine day in De Grau, and an impressive collection of yard art at Marsh's Point.

Toujours sur la péninsule de Port au Port : la corde à linge omniprésente, par une belle journée à De Grau ; et une collection impressionnante d'art naïf à Marsh's Point.

Cape Anguille   *Cape Anguille*

Telephone poles often get in the way of a good picture. This one actually helped make a good composition.

Les poteaux télégraphiques sont souvent de trop dans un beau paysage. Celui-ci par contre ajoute à la composition.

Mr. Billard from Isle au Morts posed for several photographs, but this unposed one shows his determined profile.

M. Billard, d'Isle au Morts, a posé pour plusieurs photos. Celle-ci, prise à l'improviste, montre son profil déterminé.

A blue handrail and some rocks touched by the sun in Rose Blanche.

Une rampe bleue et des rochers touchés par le soleil à Rose Blanche.

Burgeo est silencieux maintenant, et un doris a été repeint avec grand soin pour être utilisé comme barque de plaisance. La peinture de Ramea toute proche, faite en 1988, montre un port de pêche en pleine activité, vu de l'œil des mouettes qui plongeaient vers les quais en quête de nourriture.

Over Ramea

Ramea, vue du ciel

Burgeo (opposite) is quiet today, and a dory has been painted with great care
for use as a pleasure craft. The painting of nearby Ramea, done in 1988, shows
an active fishing port from a gull's-eye view, as they swoop down
to the wharves to look for food.

Hermitage

Hermitage

The beginning of a winter woodpile in Hermitage.

Le commencement d'un tas de bois pour l'hiver, à Hermitage.

The boat stopped for only two hours in Gaultois, and the weather was foggy. Jean Claude ignored this and painted a bright colourful outport (opposite).

Gaultois

Gaultois

Le bateau ne s'arrêtait à Gaultois que deux heures, et le temps était brumeux.
Jean-Claude ignora le brouillard et peignit un port vibrant de couleurs.

Cleaning the Barachois at Wreck Cove   *Le nettoyage du barachois à Wreck Cove*

In Wreck Cove, someone had made six neat piles of rubbish on the barachois, and Jean Claude decided to turn them into bonfires in his painting. Just as he was adding the fire and smoke, a man arrived to light them – a rare example of life following art.

A Wreck Cove, quelqu'un avait fait six tas bien ordonnés de débris sur le barachois, et Jean-Claude décida d'en faire des feux dans sa peinture. Il venait tout juste d'ajouter les flammes et la fumée quand un homme est arrivé et les a allumés – une des rares occasions où la vie imite l'art !

Wreck Cove.

For Ben, English Harbour West has always meant the yellow ochre buildings of
J. Petite and Sons. On the right, one of the buildings peers out from between
two oil tanks.

*Pour Ben, l'ocre jaune des bâtiments J. Petite et fils a toujours été le symbole de English
Harbour West. A droite, un de ces bâtiments apparaît entre deux réservoirs à essence.*

English Harbour West

English Harbour West

The oil tanks have been hidden behind the shed in the foreground.

La remise au premier plan cache ces réservoirs.

Opposite views of Belleoram, the "Queen of Fortune Bay".

Vues opposées de Belleoram, la "reine" de la baie de Fortune.

Iron Skull Mountain

Iron Skull Mountain

Jean Claude had already begun painting when five children arrived. "Can we be in the painting?"
"Yes, if you sit over there and keep still." And they did.
When the painting was almost finished, three more arrived, so he put them in as well.
Carla, Kelsey, Alexander, Stevie, Lisa, Jeffrey, Devin and Kendra – the children of Boxey.

Jean-Claude avait déjà commencé à peindre quand cinq enfants sont arrivés. « Est-ce qu'on peut être dans le tableau? »
« Oui, si vous vous asseyez là-bas et que vous ne bougez pas. »
C'est ce qu'ils ont fait. Quand le tableau était presque fini, trois autres sont arrivés, ils les a aussi peints.
Carla, Kelsey, Alexander, Stevie, Lisa, Jeffrey, Devin et Kendra – les enfants de Boxey.

In Boxey, Mr. Roland Keeping ponders the demise
of his livelihood and the future of his outport.

*A Boxey, M. Roland Keeping médite sur la disparition
de la pêche et le futur de sa communauté.*

In Pool's Cove we look both ways with the insert showing Jean Claude painting and some onlookers.
One boy asks, "How old was you when you started painting?"
"About your age. Do you like painting?"
"No," he answers, " 'round here we likes boats."

A Pool's Cove, on peut voir les deux côtés du port avec l'encart qui montre des curieux et Jean-Claude en train de peindre. Un des garçons lui a demandé à quel âge il avait commencé à peindre. « A peu près à ton âge. Est-ce que tu aimes peindre ? » « Non, répondit-il après une pause, par ici 'y a qu' les bateaux qu'on aime ! »

Pool's Cove

Pool's Cove

A woman called out, "You won't get any blueberries this year like you did the last time you were here painting; you're too early. Here, take these from my freezer."

Une dame nous a appelés : « Vous ne trouverez pas de bleuets cette année comme la dernière fois que vous êtes venu peindre : c'est trop tôt. Allez, prenez ceux-ci, ils viennent de mon congélateur. »

English Harbour East

English Harbour East

The mayor of English Harbour East invited them for tea, but there wasn't time. The painting wasn't finished and Ben was waiting for the evening light.

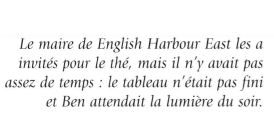

Le maire de English Harbour East les a invités pour le thé, mais il n'y avait pas assez de temps : le tableau n'était pas fini et Ben attendait la lumière du soir.

"When you come from another country, you see things differently." This apple tree in flower is not a common sight in Newfoundland.

Apple Tree in Bloom in Mortier

Pommier en fleurs à Mortier

« Quand vous venez d'un autre pays, vous voyez les choses différemment. » Ce pommier en fleurs n'est pas typique de Terre-Neuve.

Broad Cove Rock, at Little Harbour near Harbour Mille. A special computer effect has been used to enhance the colours of this photograph, taken at high tide.

Le rocher de Broad Cove, à Little Harbour, près de Harbour Mille. Les couleurs de cette photographie, prise à marée haute, ont été rehaussées par ordinateur.

Broad Cove Rock   Collection: Connie & Harold Hayward   *Le rocher de Broad Cove*

One person said that this reminded her of her marriage – the odds of success had not been considered great, but it had survived for many years and was still strong.

Une dame a dit que ça lui faisait penser à son mariage : ses chances de succès étaient minimes, mais il avait survécu pendant des années et durerait encore.

Bay l'Argent   *Bay l'Argent*

In Bay l'Argent, the trees frame the shoreline.

A Bay l'Argent, les arbres encadrent le rivage.

Inside Clothesline

Corde à linge à l'intérieur

Some small items are discretely hidden from view by hanging them indoors,
while the rest of the laundry dries outside on the line.

*Quelques petits articles sont discrètement pendus à l'intérieur, tandis
que le reste de la lessive sèche à l'extérieur !*

A typical kitchen with the old stove, rocking chair, and a family portrait gallery.

Une cuisine typique avec son vieux poêle, son fauteuil à bascule et une galerie de portraits de famille.

They arrived at Petit Forte in
the early morning.

Ils sont arrivés à Petit Forte tôt le matin.

Petit Forte

Petit Forte

The usual interested onlookers soon appeared. One man returned several times, and on his last visit said, "It's looking worse, buddy."

Les badauds habituels ont vite apparu. L'un d'eux est revenu plusieurs fois et à sa dernière visite commenta :
« C'est d' pire en pire, mon gars ! »

Placentia

Placentia

Placentia was the old French capital of Newfoundland, and the defensive fort at Castle Hill is a superb lookout point.

Placentia est l'ancienne capitale française de Terre-Neuve ; de la colline fortifiée de Castle Hill, la vue est superbe.

Le projet de se retrouver à St. Bride's n'a pas marché, mais ils sont revenus tous les deux avec une grange rouge, une clôture et une corde à linge !

St. Bride's

A plan to meet in St. Bride's went astray, but they both returned with a red store, a fence, a clothesline.

Irish Loop Children, Ferryland

Des enfants de la côte irlandaise (Irish Loop) , à Ferryland

Some children stopped to chat, but hurried home as dark clouds appeared.

Des enfants s'étaient arrêtés pour bavarder, mais se sont dépêchés de rentrer à la maison quand des nuages noirs sont apparus.

Trepassey Bay Barrens

Toundra à Trepassey

The blue sun seems to melt and flow through the landscape.

Le soleil bleu semble fondre et couler dans le paysage.

Black Bull at Tors Cove

Taureau noir à Tors Cove

Another hazard of painting outdoors: A young bull knocked over the easel and licked the canvas before retreating. His portrait is in the lower right hand corner.

Un des risques de la peinture en plein air : un jeune taureau renversa le chevalet et lécha la toile avant de s'éloigner. Il a son portrait en bas à droite !

"The Cribbies", near Tors Cove, is a local landmark.

"The Cribbies", près de Tors Cove, une attraction locale.

These dark and light structures could have been by the same sculptor.

Ces deux structures, noire et blanche, pourraient être l'œuvre du même sculpteur.

Victoria Street, St. John's

La rue Victoria, à St. John's

Folk Festival, Bannerman Park

Le festival de musique folk à Bannerman Park

For the photographer, if one person looks at the camera, the picture may be spoiled.
In the photograph opposite, everyone is quite absorbed by the entertainers. The
painter can include or ignore the onlookers as he likes.

Pour le photographe, si un spectateur le regarde, la photo n'est pas bonne. Ici, tout le monde est pris par les chanteurs. Ci-contre, le peintre peut inclure les curieux dans son tableau ou les ignorer.

The Geo Centre in St. John's seems to be sinking into the side of Signal Hill.

Le "Geo Centre" à St. John's semble s'enfoncer dans le flanc de la colline à Signal Hill.

St. John's in Winter

St. John's en hiver

Clinging to the Cliff, The Battery

Accrochée à la falaise, The Battery

In this painting of the Battery, at the entrance to St. John's Harbour, the houses and wharves tilt in all directions, while in the photograph (opposite) everything is perfectly aligned.

*Dans cette peinture de « The Battery », à l'entrée du port de St. John's,
les maisons et les quais penchent dans tous les sens, alors que dans la photo tout est parfaitement aligné !*

The Royal Newfoundland Regatta, perhaps the only holiday in Canada governed by the weather. The first fine Wednesday in August may turn into the first fine Thursday and so on.

Les régates de St. John's, certainement le seul congé au Canada qui soit dicté par la météo ! Le premier beau mercredi du mois d'août peut devenir le premier beau jeudi, et ainsi de suite...

The Regatta

Les régates

Sunday Morning, Gower Street

Dimanche matin à Gower Street

"I can't use an old photograph of St. John's because someone will notice that a new building is missing." In this new picture, there are fewer wharves in the foreground, but in the distance one can see a cruise ship and the outline of The Rooms.

« Je ne peux pas utiliser une vieille photo de St. John's, on remarquerait qu'un nouveau bâtiment manque ! » Dans cette photo récente, il y a moins de quais au premier plan, et au loin on peut voir un paquebot de croisière et la silhouette du nouveau musée The Rooms.

The George Street Festival

Le festival de George Street

Downtown St. John's at night.
This glass image of an old ship
is a reminder of the city's history.

Le centre ville de St. John's la nuit.
Ce vieux bateau dans un vitrail rappelle l'histoire de la ville.

1974   2004

Un vieil homme de Gower Street
s'était arrêté pour bavarder :
- J'travaillais sur un câblier aussi , dit-il.
Plus tard, il mentionna qu'il était de
Petty Harbour. Jean-Claude le regarda :
- Es-tu Raymond Chafe ?
- Ouais, c'est moi !
- Je t'ai peint il y a trente ans, en train
de réparer tes filets sur le quai
de Petty Harbour !
- J' sais, je m' souviens d' toi aussi.
T' avais les ch'veux longs et noirs et j'ai
cru qu' t' étais un indien !
De retour en France, Jean-Claude
retrouva une photo qu'il avait prise de
M. Chafe en 1974, et Ben
en a fait la mise à jour !

Gower Street

An elderly man from Gower Street
stopped by to chat.
"I used to work on a cable ship, too,"
he said.
Later he mentioned that he was from
Petty Harbour.
Jean Claude stared at him.
"Are you Raymond Chafe?"
"I am," he answered.
"I painted you thirty years ago, mending
your nets on the wharf in Petty Harbour."
"I know. I remember you, too. You had
long black hair then and I thought you was
an Indian!"
Back in France, Jean Claude found a picture
he had taken of Mr. Chafe in 1974, and
Ben came along later to update the record.

Gower Street

Index